D1529539

书的历史

孙静编/吴飞绘

长江出版社

图书在版编目 (CIP) 数据

书的历史 / 孙静编；吴飞绘 . — 武汉：长江出版社，2015.1
（奇妙的科学）
ISBN 978-7-5492-3156-0

Ⅰ . ①书… Ⅱ . ①孙… ②吴… Ⅲ . ①图书史—儿童读物 Ⅳ . ① G256.1-49

中国版本图书馆 CIP 数据核字（2015）第 033046 号

奇妙的科学 · 书的历史

QI MIAO DE KE XUE SHU DE LI SHI

书的历史   孙静 编/吴飞 绘

责任编辑：高　伟
装帧设计：新奇遇文化
出版发行：长江出版社
地　　址：武汉市解放大道1863号　　　　　邮　编：430010
E-mail：cjpub@vip.sina.com
电　　话：（027）82927763（总编室）
　　　　　（027）82926806（市场营销部）
经　　销：全国各地新华书店
印　　刷：武汉鑫佳捷印务有限公司
规　　格：787mm×1092mm　　　　1/16　　　2 印张
版　　次：2015年1月第1版　　　　2015年3月第1次印刷
ISBN 978-7-5492-3156-0
定　　价：12.80元

献给孩子的《奇妙的科学》

你是一个热爱科学的孩子吗？你梦想过成为一名科学家吗？

你了解我们的国宝大熊猫吗？你知道沙漠里生活着什么动物吗？你想过去海底世界畅游吗？

如果你立志成为一个热爱科学的人，那么从今天开始，来了解我们身边的世界，探索大自然的奥秘吧。

我们为热爱科学的孩子创作了这样一套《奇妙的科学》绘本。在这里，你可以触摸到可爱的动物、神奇的植物，还有好多神秘而又有趣的知识呢；在这里，你可以读到很多精彩的故事，可以欣赏到美丽而精致的画面。

更重要的是，这里的故事蕴藏着宝贵的科学道理。书中有"成长笔记"和"延伸阅读"两个小栏目，它们会像指路明灯一样指引着我们，走近科学，爱上科学。

好吧，让我们一起翻开书，一起走进知识的海洋吧！

　　嘉俊最近对"时光旅行"产生了极大的兴趣，他非常想穿越到过去，去看看以前的人们是怎样生活的。这不，酷游旅行社刚刚推出"书香之旅——时光旅行"，他迫不及待地报了名，坐上了时光机。

时光机穿越时空，带领大家来到另一个世界。只见几个人拿着小刀往龟甲上刻些什么，嘴里还念念有词。嘉俊好奇极了，拉拉导游姐姐的袖子，问道："姐姐，他们这是在干什么？"

导游姐姐微微一笑，说："这就是最古老的书啊！"

"什么？书怎么是这个样子的？"

"这时候没有纸，也没有笔和墨，人们就把字刻在龟甲和兽骨上，称作甲骨文。"

成长笔记

春秋战国时，文职官员常常被称作"刀笔吏"。

　　大家对着甲骨文啧啧称奇，转身继续奇妙的旅行。接下来，大家看到的场景就更奇怪了：一群人正用力地将砍下的竹子削成狭长的竹片，经过烘烤后，再用小刀将文字刻在上面，最后按照顺序将竹片或木片用绳子串编起来。

嘉俊有些不解，问道："这也是书吗？"

导游姐姐回答说："当然了，这是竹简，可它实在是不便于携带。据说秦始皇每天批阅的竹简文书有一百二十斤重。而在西汉时，东方朔给汉武帝写了一篇文章，用了三千片竹简。"

"那有没有其他轻便的材料呢？"

"当然有了，在同一时期，达官贵人们还用白色丝帛作为书写材料，叫做'帛书'。不过这种丝织品可比竹简贵多了，普通人可用不起，甚至都见不到。"

成长笔记

古代皇帝的圣旨都是书写在丝帛上的。

"竹简太重，丝帛太贵，有什么东西能取代它们呢？"

导游姐姐笑着说："跟我来吧！"说着，大家又到了一个地方。只见一张张洁白无瑕的纸堆叠在一旁。

导游姐姐笑着说："东汉时期，一个叫蔡伦的人经过反复试验，用树皮、破麻布、旧渔网等作为原材料，造出了轻薄柔韧、价格便宜的纸。"

成长笔记

中国是世界上最早发明纸的国家。

　　"这可太好了，纸比竹简轻多了，这样，书的数量也会增加不少吧！"嘉俊兴奋地说。

　　"那时候的书都是人抄写的，数量并不多。穷苦的读书人还会替人抄书换钱来养家糊口呢！"导游姐姐解释道。

　　"哎呀，这样效率也太低了！"嘉俊沮丧地说。

导游姐姐回答道："所以聪明的古代劳动人民从印章和石刻技术上得到了启发：在木版上刻上字，刷上墨汁，然后小心地将纸覆盖在上面，字便被印在了纸上。"说着，他们又来到了一个地方。

只见一个工匠正专心致志地雕刻木版，他的身边已经堆起了高高一摞木版。突然，他叹了口气："唉，又刻错了，这块版用不了了，重新来吧。"

嘉俊在一旁看着，觉得工匠实在是太辛苦了，便问："这么多木版，得刻到什么时候啊？"

"所以为了提高效率，北宋时期，一个叫毕昇的人用胶泥做成一个个大小一样的方块，一面刻上单字，再用火烧硬，做成一个一个的活字。印书的时候，先预备好一块铁板，在铁板内按照顺序排满活字，就如同雕版一样了。只要在活字上涂上墨，就可以印刷了。"导游姐姐笑眯眯地说。

成长笔记

　　活字上的字笔画是凸出的，叫做阳文。

嘉俊边拍手边笑道："哇！真是太了不起了！现在我们还可以随时随地在个人电脑、平板电脑、手机等电子设备上阅读电子书。书的变化可真大呀！"

竹简是如何
制作出来的

1 制作竹简首先要
选择上等的青竹。

2 然后，削成长方形的竹片，
再用火烘烤竹片。这么做一方面
是为了便于书写，另一方面也为
了干燥防虫。

4 编连竹简多用麻绳，也有的用丝绳或皮绳。一册书根据简的长短，决定用几道编，一般用二三道编，多的用四五道编。

3 在烘烤时，本来新鲜湿润的青竹片，被烤得冒出了水珠，像出汗一样，所以竹简也被叫做"汗青"。

奇妙的科学

《奇妙的科学》绘本的四大特色

★ 这是一套专门为 3~9 岁小朋友编写的优秀科普读物。

★ 选取的都是小朋友最感兴趣的主题，包含了动物、植物、天文、地理等多个领域。

★ 语言生动活泼，再配以精致的插图，使全套书达到故事与科学的完美结合。

★ 书中精心设计了"成长笔记"和"延伸阅读"两个小栏目，有助于激发小朋友探索科学的兴趣。